야 님을 이야기 하고 싶어

원작 Aka Akasaka

카구야 님은 고백받고 싶어 ~천재들의 연애 두뇌전~

만화 G3ida

카구야 님을 이야기하고 싶어 8

contents

청소 당번

청소 당번!!

청소 당번!
빠지지 말 것♡
3학년 A반에서는 자리 순으로 분단마다 조를 나눠
1주일씩 청소 당번을 바꾸게 되어 있다.

학생이 자기들의 교실을 청소하는 익숙한 시스템!

시로가네
시노미야
시죠(미)
시죠(마)
코세
키노
카렌과 에리카의 청소 당번 멤버는
이렇다!!

신의 배치!!

옝이이☆

기다리고 기다리던 청소 당번이네요~~!!

옝이이

청소 당번을 좋아하는 사람은 처음 봐.

제178화 청소 시간을 이야기하고 싶어

이상적인 청소 시추

청소 당번 시추는 여러 가지 라서…

왕도인 칠판 지우기와
위는 내가 하지.
노을
두근♥

두 분의 알콩달콩 휴지통 비우기는 저도 한 번 본 적이 있어요!
시노미야는,
참 예뻐.
쓰레기 버리기!!

가능하면 전부 이 눈으로 보고 싶어…!
번뇌도 타는 쓰레기랑 같이 내놓을 수 있으면 좋겠네.
으으으…

미리보기

시노미야, 빗자루.
고맙습니다.

윽!!!
신경 안 써도 돼.
움찔!!

마치 두 분의 신혼생활 청소 편을 미리 보고 있는 것 같아…
잘생긴 얼굴이 더러워져요

소소한 일상을 엿볼 수 있는 달달 시추…♡
이게 표준점수 77점 전후인 슈치인 학원 학생이란 말이지.
빡♥
빡♥

쓰레받기

빗자루질은 이렇게 하면 될까요?
아, 카구야 님!

쓰레 받기는 제가 대 드릴게요.
고마워요, 코세 양.

고마워요
코세 양

이 쓰레받기를 추억의 기념품으로 삼아 가보로….
더러우니까 당장 내려놔.
꼬옥

바라보며

힐끔
빡
빡

울먹
울먹
나도 이 먼지가 되어 쓸려 나갈 수 있다면….
코세 양?!

인생에 고민이라도 있나요?!
어떻게 된 거야?
지병이야.

휴지통 비우기 당번

좋아,
그럼 이제
휴지통만
비우면
되지?
왔군요!!

어떻게
해서든
회장과
카구야 님
두 분이
맡는
흐름을
만들어야지!

설령
떠맡기는 듯
보이더라도….
미카도 넌
쓰레기
버리는 곳
아직 모르지?
괘….

안내해
줄게.
땡큐,
미유키!
앙~~~~!!

깔끔하게

어느새
서로 이름으로
부르고 있고….
자제,
자제…!

그럼
학생회실에서
기다릴게요.
어.

마치
남편이
돌아오기를
기다리는
아내 같은
대사!
으응
~~!!

마음이
정화
됐어요!
나도.
오늘의
활동
교실과
마음의 정화

★원작 플레이백!!

남은 기회는
출석번호 11번
한 자리뿐!
자리 배치는
이름순
이니까….
성이
'시 or 스'로
시작하는
사람은
아직 가능성이
있다!
?
시노미야

제21권 '제211화 카구야 님은 앉고 싶어'

마침내

룰루
오늘도
카구야 님과
청소 당번.
루♪♪

잠시 괜찮을까요?

얼른 방과 후가…
코세 양.
식사
슥

마침내… 고소당하는 날이 왔구나….

코세 양?

덜

덜

제 179 화 사진에 대해 이야기하고 싶어①

부탁을 받아

카구야 님!
척
부디 실형만은 받지 않도록…!
억!!

저는 그저
실형…?
코세 양에게 부탁할 것이 있을 뿐인데요.

카구야 님이
제게…?

와아….
아….
평범하게 대화하는 것은 어려울까요?

역시 그렇게 생각해

무슨 일이십니까, 카구야 님?
슥
왜 그렇게 딱딱하게 대하나요?
!

제가 최근에 카메라를 샀는데….
캐머라.

하아…
부장 일도 은근히 챙길 게 많네….

에리카가 마침내 고소 당하는 구나!!!

한 가지 분명한 것

최근에 카메라를 샀는데
사용법이 서툴러서인지 좀처럼 잘 찍히질 않아서….

요령 같은 게 있으면 가르쳐 줄 수 있을까요?

저기 카메라의 종류에 따라 달라서 하나로 뭉뚱그릴 수는 없지만
한 가지 분명한 것은…

카구야 님의 재능에 카메라가 못 따라가는 것이 아닐지요!
버럭!!
평범하게 대화하는 것은 어려울까요?

이유

하지만 왜 에리카에게?

문화제 취재 때 카메라를 갖고 있던 것이 생각나서.
알겠습니다.
젠장!!
인지해 주셨어…!

그때 게시판에 붙은 사진이
…좋은 사진이었던 것도.

확실히 그 회장 사진은 정말 잘 나왔었죠!
저, 저는 회장 사진이라고는 한 마디도…!

카렌의 예상

알겠습니다,
카구야 님이 카메라를 사신 이유를.

카구야 님 시점의 회장 사진집을 만들려 하시는 거죠?!
파
Miyuki Shirogane
안!
회장 사진집?!

상상력이 풍부한 것은 좋지만
에헷!
어지간히 해 두세요.
하…

그런 걸 만들 리가 없잖아요.
하아아아!!
카구야는 그거 괜찮은데? 하고 생각했다.

권유

칼럼
나우! 슈치인
그렇군요! 마침 오늘
칼럼용 사진 촬영을 할 예정이었거든요.

백문이 불여일견!
견학을 해 보시는 건 어떨까요?

괜찮을까요?
물론이죠! 그렇지, 에리카?

목숨과 바꿔서라도 도움을 드리겠습니다!
하악
하악
계속

★원작 플레이백!!

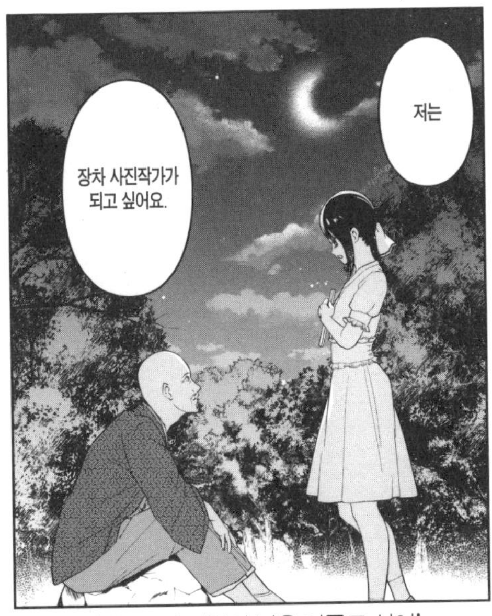
저는
장차 사진작가가
되고 싶어요.

제26권 '제259화 카구야 님은 이루고 싶어'

지난 줄거리
카구야와 사진 촬영
오늘은 라크로스부를 촬영하겠습니다.

좋든 나쁘든 **평범한 수준**이라서.
이상이 높아 생기는 고뇌로군요!
와아
아
아

어쩐지
이상적으로 생각하는 사진이 찍히질 않네요.
찰칵
찰칵

대강 이 정도예요.
카구야 님의 평범함은 저희 같은 범인과 레벨이 다를 테니까요.
슥

과연 카구…

음ㅡ.

미묘해!!

으….

제 180 화 사진에 대해 이야기하고 싶어②

에리카의 사진

어떤가요?
음…
저…
그러니까….

발전 가능성이 있어서 좋다고 생각합니다!
즉 미묘하다는 말인가요?

특별활동 풍경 같은 건 모두 비슷비슷하지 않나요?
코세 양의 사진을 보여 주세요.

투
웅!
전혀 달라!!

다시 한번

아, 알겠어요.
파
줌으로 찍으면 좀 더 생동감 있게….
악!!

SOMY

이, 이것도 나름 맛이 있다고 할까…
….
현대적인 인상파네요!

고장 난 거 아냐, 이 고물?!
저희 부에서도 최신형 카메라예요, 카구야 님!!

찍어 준다면

아무래도 움직임이 있는 인물 사진은 어려울 테니…
그렇지!

에리카를 모델로 연습하시는 건 어때요?
하아…
몸풀기 같은 것이로군요.

코세 양, 부탁해도 될까요?
카, 카구야 님이 제 사진을….

삼가 영정으로 사용하겠나이다…♡
가보다…♥
이상한 부담은 주지 말아 주세요.

빠져나갔어

그럼 찍을게요.
오랜 옛날, 막부 말에서 메이지 무렵까지

사진을 찍히면 혼이 빠져나간다는 미신이 있었다고 합니다.
찰칵

왜 흔들리지?!
SOMY

카구야 님의 손길에 혼이 빠져 나갔어♡
긴장한 나머지 다리가 풀린 거예요.

이런 사람인데

이, 인물은 일단 제쳐두고…
이 나비 같은 건 어떨까요?

흔들리지 않고 깨끗하게 찍혔어요!
이만하면 코세 양과 큰 차이는….
SOMY

역시 전혀 달라!!
SOMY

카구야 님에게 나비들이 모여 들어서
디●니 프린세스 같아♡
이렇게 바보 같은 소리나 하는 사람인데!!
우
후

깨달아 버렸다

에리카는 2년 동안 저희 부에서 촬영을 맡아 온 실력파 에이스니까요.
빠랏…!

평소의 행실 때문인지 썩 인정은 못 받지만….
그렇지도 않잖아?
180화에 와서야 처음으로 밝혀지는 에리카의 실력.

저는… 보통 수준이라고 생각했는데
보통 수준보다 못하게… 형편없고… 재능이 없는 게 아닐지….

이, 이제부터니까요.
정물! 정물부터 시작하시죠.
계속

★원작 플레이백!!

실력이 늘면
인물 사진을
찍고 싶다.
…그렇게
생각하는
중이에요.

제26권 '제259화 카구야 님은 이루고 싶어'

나는 아사히 선배처럼
카구야 님과 특별한 추억이 있었던 것은 아니다.

먼발치에서 줄곧
바라보고 있었을 뿐.

같은 학년이라고는 생각할 수 없는 기품 있는 행동이나
의연한 자세에 그저 동경하고

그런 카구야 님이
오늘 처음으로 나를 의지한다.
잠시 괜찮을까요?
정신이 들어 보니 나는….

?
?
ISO 감도!!
F값!
귀신
뭔지 모를 머리띠를 질끈 매고 있었다.
귀신

제 181 화 사진에 대해 이야기하고 싶어③

엿보이는 희망①

자기 스타일을 발견할 때까지
일단 많이 찍어 보는 게 제일이에요.

마음을 담는 것도 중요할 듯해요.
그러면 뭔가가 달라질까요?

예를 들면 누군가에게 보여 주고 싶다거나
사랑하는 사람과 공유하고 싶다거나

소중한 사람과의 추억을….
가끔 주장이 격해지는 것은 기분 탓일까요?

영 아닌 카구야

좀 나아진 것 같긴 한데….
좀 더 잘 찍을 수 있는 요령 같은 건 없을까요?
SOMY

외람되오나 지금의 카구야 님은
요령을 운운할 단계가 아니옵니다.

기초부터 탄탄히 쌓는 것 외에는….
내가 그렇게 영 아닌 거예요?!

하지만 그런 카구야 님도 매력적이세요.
그런 감상은 아무래도 상관없어!!
화아 아♡

엿보이는 희망②

누군가에게 보여 주고 싶고
공유하고 싶은지….

찰칵

지금까지 찍은 것 중에서 제일 잘 찍혔네요!

방금 특정한 누군가를 생각하신 건 아닐까요?!
꺅—♪
지, 집중이 안 되니까 좀 조용히 해 주세요…!

도전해 보자

과연 카구야 님이세요, 발전 속도가 굉장해요!
그 정도 까지는….

이 흐름이라면 인물도 잘 찍을 수 있으려나?
도전해 보죠!

에리카, 모델을!
딱!
응?! 아, 네!

인물은 좀 더 연습하는 편이 좋겠어요.

기념비적인 한 장

오늘은 이제 괜찮아요….
정물이 조금
는 것만으로도….
추—욱

아, 카구야 님.
지금 저녁 하늘도 예쁘게 찍힐 것 같아요!

…나도 카메라를 가져오면 좋았을걸.
스마트폰도 충분히 성능이 좋으니까.

한 장만.
찰
칵
타임랩스 슬로 모션 비디오 사진 인물 사진

카구야와 보내며

카구야 님께 도움이 되어 영광이었어요.
매스미디어부

에리카도 조금은
카구야 님과 가까이….

푸아ㅡ
푸슈우우욱
과열돼 버렸어!

카구야 님이 찍으신 사진을 방에 장식해야지…♡
결국 평소랑 똑같네요….
오늘의 활동 카구야와 촬영

★원작 플레이백!!

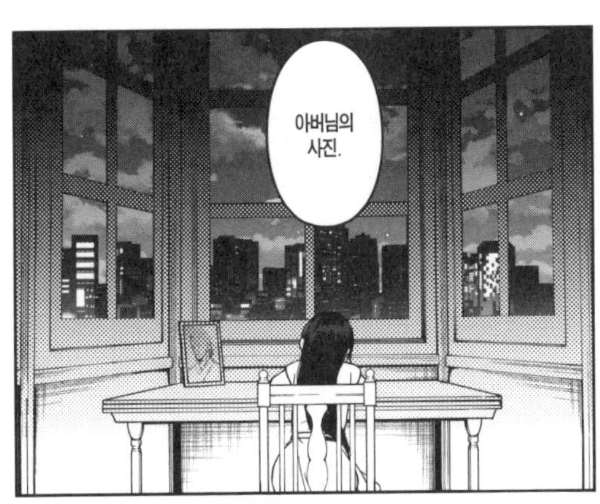
아버님의
사진.

제27권 '제269화 일상②

후지와라 양,
소매에 뭐가 묻었어요.

요즘 학생회실에 자주 놀러 오거든요~~.

이건 고마노스케의 털이네요.
아베 씨네 검은 고양이?

카구야 양도 어쩌다 보니 귀여워하게 됐어요~~.
?!!

카구야 님과 냥냥이…? 갓조합?!

한 폭의 명화 같아…!!

실제 카구야

붕 붕

요놈, 요놈!

제182화 고마노스케를 이야기하고 싶어

칼럼은

보류해 뒀던 칼럼 기사,
매스미디어부
고마노스케 특집 같은 건 어떨까?

학교의 인기 스타 특집이니 반응이 좋을 것 같네요.
달칵
아베 씨에게 허가를 받기만 한다면 말이지만….

신출귀몰한 고마노스케.
귀여운 사진을 실을 수 있으면….

또 카구야 님에게 칭찬받을 지도…♡
과연 대단해요
자기 욕망에 정직할 뿐이군요.

검증

'고마노스케를 보면 좋은 일이 일어난다.'
그런 소문까지 돌 정도니까.

검증하는 것도 좋을지 모르겠어요.
검증 소재는 반응이 좋으니까.

학생회
고마노스케가 학생회실에 자주 찾아간다면
회장과 카구야 님에게도 좋은 일이 있다….

회장×
카구야 님의 행복이 확실하게…♡
HAPPY
자기 욕망에 정직할 뿐이네.

카렌의 정보

우선 고마노스케를 발견해야지!
나눠서 찾아보자.
…말은 그렇게 했지만,
확!!

빤……
이렇게 쉽게 찾을 줄이야….

나는 매스미디어부 부장.
슥
고마노스케에 관한 정보도 잘 알고 있죠.

여기인가요? 여기가 좋은 거죠?
다 알고 있어요~~!
주물주물!

좋은 일 또는

에리카가 올 때까지 잠시만 기다리고 있어요.
기웃기웃

후후후.
냥냥 고마냥♪
고마냥 냥♪

냐….

타박타박

울음소리

카렌―?
고마노스케―?

이 부근에 있다고 연락 했으면서….
다른 데로 가버렸나…?
으~~.

고마노 스케~~?
안 무서워, 이리 나오렴~~.
스
윽

으―.
부들
부들
우으 ~.
왜 그래?!

검증 결과

괜찮아? 무슨 일 있었어?
으으~~ 으으으.

고마노 스케는 없는데….
발견은 한 거지?
끄덕 끄덕…

그러면 분명 좋은 일이 있을 거야!
기운을 내!

좋은 일 같은 건 없어!!!
오늘의 활동 고마노스케 촬영 불발

★원작 플레이백!!

그래,
네 이름은
에드워드 오브
우드스톡.
잉글랜드
흑기사왕의
이름을….
달칵
안녕
하세요—.

제22권 '제214화 카구야 님은 고양이가 싫어'

카렌의 흥미

이야기를 들어 줘서 고맙다.
그래.

시죠 군.

방금 회장과 어떤 이야기를 했나요?
응? 그건 왜?

생긋!
순수한 흥미랍니다.
평소에 남자분들이 어떤 이야기를 하는지.

다른 사람에게 말 못할 내용이라면 강요하지는 않겠지만….

큰 가슴과 작은 가슴 중…

어느 쪽이 좋냐?

양쪽 다 좋다고 봐.

살짝 처진 가슴이 좋아.

아니….

다른 사람에게 말 못할 가슴 이야기였다.

제183화 보이즈 토크를 이야기하고 싶어

참고

아니, 진짜
별거 아닌 내용이라서.

구체 적 으로는?
눌리겠어…! 순수한 흥미 수준의 압박이 아니잖아!

집필에 참고를 위해서라고 할까….
가끔 불안해져…
시노미야에 대한 내 사랑은 진실한 사랑인지….

호외
학생회장과 전학생
여성의 가슴을 놓고 불타는 대화
나도야, 미유키!
미카도, 너도냐!
▲뜨겁게 이야기를 나누는 학생회장(우)과 전학생(좌)
집필에 참고….

서로의 흉중

미카도가 가진 카렌의 정보는
매스 미디어부 부장,
약간 집요한 카구야 신도….
우-
저쪽이 매스미디어부 부장이야
부장… 그렇구나.

학교 제일의 커플러라는 사실은 아직 모른다!

한편 카렌은…
이 얼버무리는 듯한 분위기….
이야기의 주제는 틀림없는 연애!!

회장의 연애 이야기, 듣고 싶어~~!!
통상 모드.

카렌의 상상

or
이런 이야기를 하신 것은 아닐까요?
사랑에 대한 극단적인 선택 이라거나.

큰 가슴과 작은 가슴 중…
어느 쪽이 좋나?
사랑의 선택….
하찮아서 말도 안 나오는 얘기였구나.

공감하면서도 양보할 수 없는 부분이 있었다거나….

서로의 사랑을 알면 알수록 깊어지는 우정도 있고….
미유키라면
공주를 맡길 수 있어!
혹시 듣고 있었어?!

기타 남자의 의견

뭐가 그렇게 신났나?
카자마츠리 군, 토요사키 군.

보이즈 토크의 내용을 배우고 있었어요.
보이즈 토크라면…

음담패설 밖에 없잖아?
음…?!

회장은 음담패설 같은 거 안 해요!!
아 우 아 아 아
아이돌은 화장실에 안 간다는 듯한 얘기네.

신격화

그럼 나도 음담패설을 했다는 말이 되잖아.
미안
미안
했다.

키노는 시로가네를 너무 신격화하는 경향이 있어.
…저도 알아요.

회장도 건강한 남고생… 하지만,
그렇게라도 하지 않으면…

살짝 야한 망상의 해상도가 갑자기 높아져서
회장의 긴 손가락이 교복 리본을 조심스레 풀고….
매우 곤란해!!

에리카의 의견

다들 모여서 무슨 얘기해~?
시로가네와 보이즈 토크에 관해서.

회장과 ….
카자마츠리 군도 너무하지 뭐예요?
음담패설이니 뭐니….

오늘 저녁 반찬이라거나?
에리카—!!!

회장은 요리도 하는 것 같고….
알긴 하지만 흐름상 다른 의미로 들릴 수 있다고요!!
이 학교는 이상한 녀석들만…
오늘의 활동 잡담

★원작 플레이백!!

회장은
여자친구가
있고,
시죠도
인기가 많아
보이니까.
나보다
경험이
풍부할
거야—.
츠바사의
마음은
해맑았다.

제22권 '제215화 남자와 여자의 ABC②'

금방 그칠 비

쏴아
금방 그칠 비인 줄 알았는데
아 아 아
그치질 않네—.

오늘은 돌아가서 공부나 할까?
열심히들 해라.
감사 합니다!!

비 때문에 특활은 중지하나 봐요.
저흰 기초 연습만 할 거긴 하지만….

하아…
비는 왜 와 가지고….
탁
탁

흠뻑 젖어 버렸네요.

후———….

토요사키는 비에게 깊이 감사했다.

제184화 덕을 쌓는다는 것을 이야기하고 싶어

타월

괜찮아? 이거라도 괜찮으면 닦아.
토요사키 군, 고마워요.

…….
아, 오늘 특활은 중지돼서
안 썼던 거니까 안심해.

비에 젖은 여자에게 타월을 건넨다….
쓸 만한 좋은 시추!
키노? 괜찮아?

그의 상냥함과 향기에 포근히 감싸여….
감기 걸리겠어
잘은 몰라도 괜찮은가 보군.

상냥함이

비가 와서 되돌아온 거야?
아뇨, 우산은 갖고 있었지만

바로 앞에 우산이 없어서 곤란해 하는 할머니가 계셔서
제가 갖고 있던 우산을 드리고 학교에 둔 우산을 가지러 왔어요.

상냥하네.
뭘요, 저는 그저
덕을 쌓았을 뿐이에요.

이것도 커플러의 라이프 워크!!
의기양양
또 알 수 없는 말이 튀어나왔네.

피차일반

토요사키 군이 타월을 빌려준 것도
한 가지 음덕이에요.

토요사키 군에게도
좋은 일이 있기를.

아니, 오늘은 이미
미리 받은 거나 마찬가지니까.

뭔가 알 수 없는 말을 하시네요.
후후ㅡ!
키노한테 비할 건 아니라고 보지만.

원하는 보답

덕을 쌓는다니?
좋은 일을 하면 보답을 받는다는 그런 거야?
네.

평소에 좋은 일을 해 두면
언젠가 자신에게 돌아온다.
즉

좋은 일을 하다 보면
갓시추를 보게 될 가능성도 높아진다!!
우산 속에 숨어 키스하는 최애 커플

저는 그렇게 믿고 있거든요.
그렇구나.

다음날

토요사키 군, 이거 카렌이
어제 신세를 졌다면서,

세탁한 타월과 새것도 하나….
괜찮은데… 키노는?

회장, 이제 정례회의 시간이에요.
아.

도저히… 움직일 수가 없나 봐….
아….
부들
부들

과잉

회장과 카구야 님이 평소보다 거리가 가깝지 않아?
저건 우리가 보기에도 심문할 필요가 있는데.

저런… 꿈 같은…
공개적인 알콩달콩을 볼 수 있다니….
벌
떡…

하—♡
덕을…
너무 쌓았나 봐…♡
하—♡

너무 쌓을 수도 있구나….
3-A
오늘의 활동 덕을 쌓았다

★원작 플레이백!!

여러분은 남성과 섹스를…
하고 싶다고 생각하세요?

제22권 '제216화 카구야와 친구들은 이야기하고 싶어'

현재 상황

하야사카 양.
저를 한 번 후려쳐 주시겠어요?

슈파롱──!
아야야──!!!

과연 하야사카 양은 행동이 빠르군요.
왜?

요즘 제가 살고 있는 세계가
꿈인지 현실인지 애매해서….

회장, 도시락을 싸 왔는데….
그럼 옥상에라도 갈까?
땡큐!
아─.

제185화 최근의 카구야 님을 이야기하고 싶어

이상해질 것 같아

왜 갑자기?! 저렇게 당당히!!
갓시추를 보게 해 달라고 기도하긴 했지만

갑작스런 정보량에 머리가 이상해질 것 같아…!
으으으으
이미 이상하니까 안심해.

무슨 실례를! 이상한 걸로 치면 에리카가 더하죠!
파
약!!
된장 양이?

오늘도 카규야 님은 귀여우셔…♡
우후후
평소랑 똑같은데?

하야사카 양은?

지금까지는 두 분의 관계를 철저히 숨겨 오셨잖아요?
질
질

뭔가 두 분에게 심경의 변화나
움
진전이 있었던 게 아닐까요?
찔

그런 망상이 꼬리에 꼬리를 물어서….
하야사카 양은 어떻게 생각하세요?

그 표정! 역시 망상이 피어오르는 거죠?!
자세하게!!
아니 거든….

학교에서의 소문①

학교 익명 사이트 같은 곳에서도
두 분의 소문으로 달아오르고 있어요.

…….
하야사카의 머리에 불안이 스친다.

본인은 소문 같은 것을 신경 쓰지 않는다지만
온 슈치인에 소문이 날 텐데요.
알 바 아니야.
시노미야 가문의 사람이라는 것은 변함이 없다.

사랑에 빠져 바보가 됐다는 소문이 돌면 이미지가 나빠진다.
시노미야 가는 바보였다!!
심지어 사실이기 때문에 어쩔 도리가 없다!

학교에서의 소문②

카구야 님의 분위기가 달라졌다는 의견도 많아요.
사랑을 해서 부드러워진 것이 아니냐면서.

사랑이란 갱장해♡
…그밖에는 또 어떤 소문이 돌지?

나쁜 말이 도는 건
동경했는데 충격이다…
불건전 이성교제
학생들의 모범이 되어야 할 학생회가 그런 것에 정신을 팔다니 실망이다
싫으니까….

드디어! 파와 알고 있었어! 파가 대다수네요.
문화제 데이트 하는 것도 봤고
동경하는 커플♡♡♡
나는 1년 전부터 꿰뚫어 봤지
기우였네….

카구야 신자는 지금

확실히 카구야는 변했어, 평범하게….
…….

너희 둘은
고귀하고 의연한 카구야를 동경하지 않았어?

평범한 여자애처럼 변해 버린 카구야를
너희들은 받아들일 수 있어?
….

에헤!!
기여우니까 갠차나~~♡
작은 술 한 스푼만한 뇌 용량 이였구나….
에헤!!♡

우리는

어떤 카구야 님도 전부 카구야 님이고
우러러보는 마음은 변함없어!

하야사카 양 역시,
어떤 카구야 님이라도 사랑스럽지?
그렇군.
나쁘지 않아.
어쩐지 낯간지러운 부분까지
나는.
시로가네 미유키가 좋아.

…….
그건 그런가.

역시 우리는 소울 메이트야!!
그건 좀….
오늘의 활동 소울 메이트의 유대가 깊어졌다
히
힛!

★원작 플레이백!!

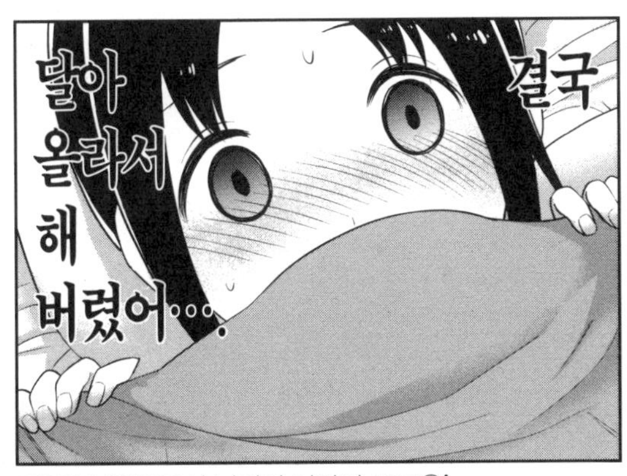
결국
달아 올라서 해 버렸어….

제22권 '제220화 남자와 여자의 ABC⑥'

여자친구 없음 파

여자친구 없음 파는 동료를 배신하지 않아….
하지만 그게

시로가네 미유키 군….
어~~~쩐지 요즘 시노미야하고 사이가 좋아 보이더라?

동료를 축복하지 않는다는 뜻은 아니지.
카자 마츠리 …
토요 사키 …!

…라고 말할 줄 알았냐, 어딜 혼자 쏙 빠지려 들어!!

꾸욱

꾸욱

보고 한 마디쯤은 해도 되지 않냐?

제 186 화 여자친구 없음 파는 이야기하고 싶어

두 사람의 진척

미안, 여러 가지로 타이밍이….
그러는 너희 둘은 어떠냐?

……?
전에 여자친구가 생길지도 모른다고 했잖아?

뭐, 봄방학에 둘이서 밥 먹을 정도는?
그건 우연의 산물이잖냐.

나는… 덕을 쌓았다고 할까.
뭐가?
이상한 여자한테 반해서 이상해졌어.

필요한 일

축복하는 마음은 거짓이 아니야.
축하한다
그 시로가네가—. 어떻게 꼬신 거냐?

…지금 생각해 보면
그냥 필사적으로 노력했을 뿐이야.

노력이라~~.
그래.

그래서 더한층 행복을 곱씹을 수 있다고 할까….
틈만 나면 자랑질이라니까~~.
잘 먹었습니다.

멋진 모습을 보여주고 싶어①

노력이라고 해도 말이지….
멋진 모습을 보여 줘서 주가를 올리는 것부터 시작해야지, 뭐.

선생님이 진짜 도와줄 사람을 불러 준 걸까~~?
이거 너무 무거워
아, 마침 잘됐다.
평보A 비품

스
윽
평보A 비품

오래 기다렸지?
두두
와타베 신도―!!
신도!
우우웅!!

멋진 모습을 보여주고 싶어②

으음~~.
뭘 그렇게 끙끙 앓아?

곧 할아버지 생신이 돌아오는데
만들어 드릴 된장 요리를 못 정하겠어.
된장 식사

뭐, 코세가 만드는 거라면 뭐든지….
무 된장 꼬치구이 어때?
두두우
신도!
우우웅

우리 할아버지도 좋아하시거든.
그거 좋다! 해 볼게.
과연―!
신도―!!

와타베 신도라는 남자

다음 수업은 이동 수업 이라는데.
우선 그 신도를 어떻게 하기 전에는….

…그걸 굳이 알려주러 온 거냐?
얼른 준비하지 않으면 늦을 거야.

당연하지.
같은 반 친구잖아?
…시,

신도~~!!
오늘의 활동
여기저기에서 신도의 주가가 올라갔다

멋진 모습을 보여주고 싶어③

휘
잉

학생회에 제출할 보고서가….
팔랑
팔랑

나한테 맡겨….
흠!!
차
악!!
신도!

과연 축구부네요! 멋진 헤딩 이었어요.
신도—!!

★원작 플레이백!!

응,
축구부
에이스.
와타베 신도
군이에요.
파아아아앗
성이 아니고
이름이었구나!

제21권 '제211화 카구야 님은 앉고 싶어'

이시가미의 상담

죄송합니다, 갑자기 불러내서….
괜찮아요.

그쪽의 친구분이….
에리카 말이에요?

평소랑은 반대네요.
후후
오늘은 무슨 일인가요?

슥…

요즘 엄청 무서운 눈으로 응시를 해서….

어머나…. 저희 애가 큰 실례를….

빠아아아아안….

제187화 시라누이 코로모의 소문을 이야기하고 싶어

소문

에리카, 떽!
할 이야기가 있으면 똑바로 해요.
빠아아아아안

이시가미 군… 이런 소문을 들었는데.
소문?
타박
타박

슈치인의 요정인 시라누이 코로모가
요즘 들어 같은 반인 이시가미란 남자와 잘 지낸다는 소문.

흐음ㅡ? 하는 생각에 관찰하는 것뿐이야.
파파라치다, 무서워!!
스윽

에리카의 변명

우려하는 그런 건 아니야.
학교 안의 소문이라면 모를까….

현역 아이돌, 시라누이 코로모 한밤의 밀회! 같은 게
세상에 보도되면 큰일이잖아?
특종
상대는 같은 반 친구

그래서 나는 충고를 하려 했는데….
하아아아아
절대 그것만은 아닐 텐데?

…어떻게 알았어?
우리가 몇 년이나 친구로 지냈는데요.
과연 둘이 한 몸이라니까.
이야…

에리카의 본심과

슈치인의 요정, 시라누이 코로모.
공주, 시노미야 카구야.
백조, 코야스 츠바메.

내 개인적 TOP 3와 다 가깝단 말이야, 이시가미 군은!!
너의 뭐가 그렇게 만드는지 관찰해서….
버럭!!

츠바메 선배….
연애음치가 기습 공격을!!

어색한 공기

아
어렴풋이 눈치는 챘지만
뭔가 충격적인 일이라도 있던 걸까?
역시 실연 당했구나.
실연!
헉
추격타 금지!!

우리 멍청이가 미안해요….
에리카도 사과해!

저기 뭐라고 할까,
그거…

그럴까요?
소곤
진짜 하지 마세요.

들은 소문

시라누이 하고는 게임 친구고
KOROMO님, 잘 부탁 드립니다.
만난 것도 온라인이고, 같이 한 사람도 많고….

그런 거라면 오늘의 사과를 겸해
익명 사이트에서 여러 가지로 돌고 있는 오해는 정리해 줄게.
오해 …?

츠바메 선배 다음에는 코로모를 노리는, 감히 넘보지도 못할 꽃 어태커 라는 설.
무슨 그런 소리를!!

계란으로 바위치기를 거듭하며 강인한 정신을 만들고 있다는 설도.
완전 M 이잖아!!

알아낸 사실

그리고… 이건 진지한 얘긴데
이시가미 군을 보다 보니 깨달은 게 있어.

지금의 이시가미 군에게 부족한 것.
제게 부족한 것…?

그것은 영양!
따끈 따끈
즉, 된장국!
된 장!

몸이 따뜻해져….
메티오닌 효과야.
오늘의 활동 이시가미에게 된장국을 먹였다

★원작 플레이백!!

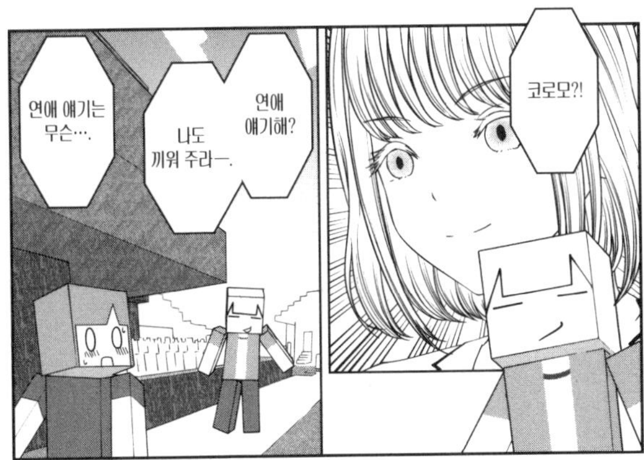

코로모?!
연애 얘기해?
나도 끼워 주라ー.
연애 얘기는 무슨….

제27권 '제270화 일상③'

경험으로 보는 미래

그러고 보니

올해 프랑스 학교와의 교류회는
댄스파티라며?

댄스 파티라….
그쪽이 주최라서.

같이 추고 싶은 상대가 있다면 미리 말을 걸어 두는 게 좋을 거야.

…무리지.

훗…

아아

잘될 거라는 비전이 전혀 안 보여.

너무 소극적이지 않아?!

제188화 댄스 예정을 이야기하고 싶어

초대①

미리부터 단정하는 건 좋지 않아.
토요사키 군, 무슨 일인가요?

프랑스 학교와의 교류회 말인데….
댄스파티 말이죠?

그래! 그래서….
…아무래도

프랑스 학교 측에서 회장과 카구야 님의 댄스를 기대하고 있다죠?!
두근
두근
키노?

초대②

이건 큰 사건 이라고요!!
하악
하악

회장× 카구야 님의 거룩함이
국경을 넘어 침투하고 있다는 뜻이니까!

최애 커플 이야기를 나눌 수 있도록 프랑스어를 배워 둬야 겠어요!
그날은 마음껏 즐겨 봐요!

…그것 봐!
흥!

초대③

프랑스
학교와의
교류회?

착
착
댄스파티
라며?
물론
알지.

일손?
같은 게?
모자란다면?
못 도와줄
것도 없는데?
진짜?!

그럼
부탁할까?
응?!

초대④

회장에게
정식으로
신청해야지!
신청
같은 건
필요
없잖아.
필요해!

파티
음식으로
우리 된장을
선보이게
할 거니까!
된장
전병
도와줄 사람을
찾고 있었어!
아—
된장 영업
이잖아!!

그날
잘 부탁
할게~~.
…….

그것
봐!!
흥
!

댄스 상대?
안 정했는데….

…여기서 포기해도 될까?
결국 이렇게 되는 거라고!!

매스미디어부 취재와 된장 영업과 카구야 님을 바라보는 것만도 벅차서.
춤출 시간 없어
그렇구나.

이 기회를 놓치면
함께 댄스파티 같은 건 두 번 다시 참가 못 할 텐데.

회장과 카구야 님이 댄스를 시작하시면 주위는 그 모습에 넋을 잃어 춤출 수 있을리가 없어요!
버
럭!!
그렇지.

이번에야말로 진짜에게 부딪칠 용기를 내야 하지 않을까?
…시,

오늘의 활동 진전 없음
그것 봐!!

시로가네 한테 질 수야 없지!
탁
그래!!
악
!!

★원작 플레이백!!

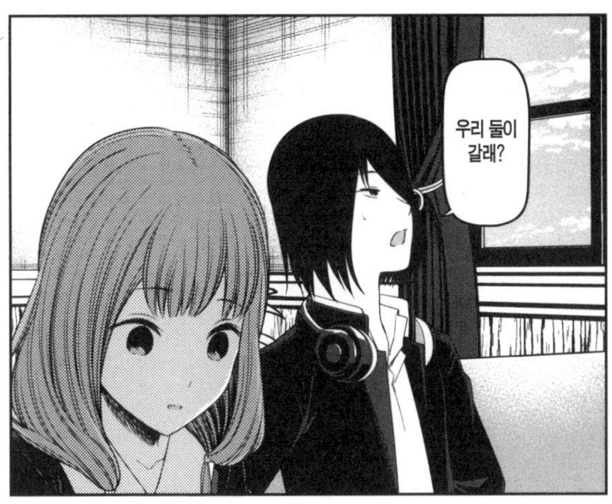
우리 둘이
갈래?

제24권 '제238화 이시가미 유우는 권하고 싶어'

프랑스 학교 교류회 당일

와글
대성황이네.
당연하죠!
와글

그야말로 전 세계가 갈망하는….

이 파티장에 있는 모두가
회장과 카구야 님의 댄스를 고대하고 있으니까요!

…마키 양, 뜨거운 시선이 느껴지는데요.

찰칵…

찰칵…

버거운 시선이 아닐까?

제 189 화 프랑스 학교 교류회에서 이야기하고 싶어

카구야 님의 사진

저,
코세 양.
저는 사진은 좀….
헉!

기사에 싣지 않겠다고 약속 드립니다.
개인적인 기록 이라고 할까….

회장과 카구야 님의 댄스를
멋진 추억의 한 페이지로 남기고 싶어서!!

그런 이유 라면….
빙그레!
많이 유해졌네.

마키와 댄스

마키,
나하고도 한 곡 춰 줄래?
스윽

좋긴 하지만 취재 때문에 바쁘지 않아?
잠시만.

조물
조물

카구야 님이랑 똑 같아 ~~♡
에헤—!
대강 그럴 거라고 생각했지.

이시가미와 이이노의 댄스를 보고

어머, 이시가미 회계와 이이노 양.
벌써 세 곡째인데 쭉 같이 춤을 추네요.

페어를 바꿀 타이밍이….
달리 춤을 춰 줄 사람도 없고요.

조심스레 포개지는 손….
다음 곡으로 넘어간 것도
저기요?!

그런 게 아니라…!
캬르릉
그냥 놔둬.
우리 얘기 아니니까.
좋아…

벽의 꽃 카구야 님

회장은 파티 실무 때문에 바쁜가 봐.
후닥닥
카구야 님과 춤출 여유도 없다니….
타닥

지, 지금이라면 카구야 님에게…
파티 음식으로 내놓은 우리 된장국을….
공주님.

한 곡 춰 주시겠습니까?

뭐?

바쁜 두 사람

쿠 쿠 쿠 쿠 쿠
뭘까, 저건….
경우에 따라서는 NTR이라고도 할 수 있는데요?

나도 사실은 카구야 님과 추고 싶지만
기절해서 폐를 끼칠까 봐 자제하고 있는데….

미카도.
내 여자에게 집적거리지 마라.

하아~~♡
카구야 님이 기뻐 보여♡ 나도 기뻐♡
후룩

교류회를 마치고

이렇게 해서 프랑스 학교와의 교류회는
시노미야 무서워

Soupe miso!
큰 사건 없이 막을 내리고—.

이 행복한 시간 속에서는 상상도 못했습니다.
차자자자자

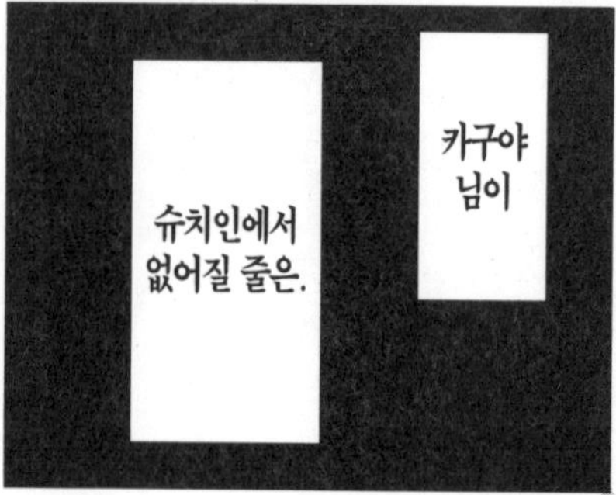

카구야 님이
슈치인에서 없어질 줄은.

★원작 플레이백!!

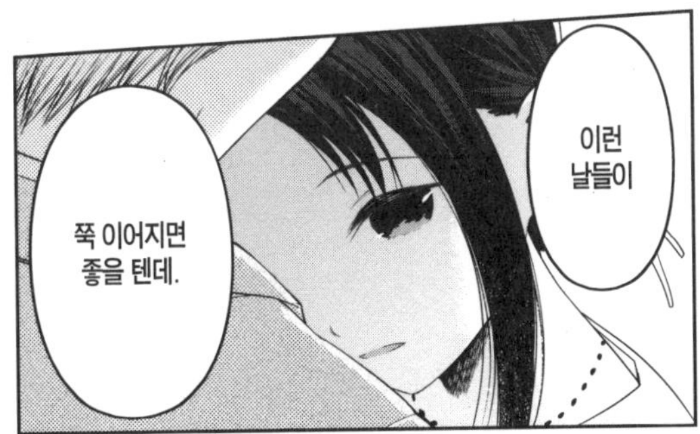
이런
날들이
쭉 이어지면
좋을 텐데.

제24권 '제240화 카구야 님은 춤추고 싶어'

시노미야 카구야의 정보

휘유우우우 유
카구야 님이 학교에 오지 않은 지 며칠이 지났습니다.

실례합니다—.
웹TV 미디어인데요.

시노미야 그룹 관련 뉴스가 연일 난무하고
인터넷이나 와이드쇼에서는 온갖 추측성 발언을 쏟아냅니다.
13
속보 시노미야 그룹 간부 21명 체포

시노미야 재벌 영애에 대해
잠시 이야기 좀 물을 수 있을까요?

우선 그분의 거룩한 빛, 성스러운 목소리, 눈부신 아름다움부터 이야기해야 하는데요.

그분은 저희의 여신이고 구세주이십니다.

죄송합니다, 취재는 교장선생님이 따로 받고 계시니까요.

제 190 화 카구야 님의 부재를 이야기하고 싶어

매스미디어부의 투 톱

다음날.
뚜벅
뚜벅!
—그런 일이 있었어요.

카구야 님의 정보를 쉽게 얻어내려는 수작이야!
약간의 힌트라도 좋아!
나머지는 내가 알아서 특정할 테니까!
무섭다고.
어디를 놀아보는지 스케줄을 전부 가르쳐 줘!

있는 말 없는 말을 다 지어내려 해요!
익숙하지 않은 힐에 뒤꿈치가 까져서 힘들어지거나
갑작스런 돌발 사태로 관람차에 갇히는 두 사람…
그런 두근두근♡ 해프닝을 위한 여백이 필요해요!
부릉!
그걸 데이트

이 기레기들!!
버럭!!
매스 미디어부의 톱으로서 적절한 발언인가?

뛰어난 대응

그때 에리카의 대응은 뛰어났어요.
하지만 말렸잖아?
그분은 저희의 여신이고 구세주이십니다

하야사카 양은
미디어가 취재해도 쓸 수 없는 내용이 뭐라고 생각하세요?

가짜 뉴스라거나
소고기
대외비
소재로 삼을 수 없는 내용…?

위험한 사람의 위험한 발언이에요.
난 이 기회에 카구야 님의 거룩함이 세상에 알려지면 세계 평화가 실현
그렇구나.

경비

그밖에도
학교 주변을
수상한 사람이
어슬렁거린다는
정보가 있고….
선생님들도
경비를
강화하고
있대요.
두근…

하야사카 양도
경비하느라
힘들겠어요.
무, 무슨
소리야?

시치미 떼도
소용없어요.
다 알고
있거든요?
최근 등하교 때
회장 곁을
떠나지
않고…

카구야 님의
회장에게
몹쓸 것들이
달라붙지
않도록
경비하는
거죠?
과연 대단해!
아…
응,
맞아,
맞아.

괴로운 일

시노미야
재벌이
큰 잘못을
저질렀다는 건
알고도 남지만
일개
고등학생이
며칠씩 학교도
못 나와야
한다니….

회장과
오랫동안
못 만나서
카구야 님도
얼마나
괴로우실까요?

나도
최애 커플
영접을
못 해서
괴로워!!
으아아앙

나도
카구야 님을
못 뵈어서
힘들어~~.
힘들겠다—.
그래,
그래.
훌쩍
훌쩍

카렌의 제안

이런 일이 생길 줄 알았다면,
훌쩍
저도 두 분께 제안할 것이 있었는데….

제안?
유튜브 예요!
아— 폭로나 정보 누설 같은 거?

회장과 카구야 님의
느긋하게 휴일
러브러브 커플 채널을 개설하는 거죠!

두 사람의 거룩함에 매료된 민중은 분명 든든한 아군이….
흥
아니, 하야사카 양? 듣고 있어요?!

할 수 있는 일

일개 고등학생이… 우리가
카구야 님의 힘이 될 수 있는 일은 없어….
그래도

딱 한 가지, 우리도 할 수 있는 일이 있어.
맞아요.

갑시다!
가다니, 어딜?!
타악 씽

오늘의 활동 신사에서 기도
신에게 기도하러!!
카구야 님에게 하루빨리 평온이 찾아오기를 카렌, 에리카
너무 어두워지기 전에 집에 가—.

★원작 플레이백!!

그럼 우리 관계를 어떻게 설명하려고?
나는 미유키 군 곁에서 떨어질 수가 없는걸?

제25권 '제243화 하야사카 아이는 갈아입고 싶어'

이 예감의 이름

카구야가
슈치인에서
없어진 지
보름 이상이
지났다.
헉

…….
왜 그래?
카렌.

예감…
알 수 없는
술렁임
이라고
할까요.
신의
계시 같은….

하지만
불길한
예감은
아니고,
이것은
신의 계시가
아닌….

커플의
계시!!
콰악!!
카구야 님
금단 증상으로
상태가
악화됐네….

제 191 화 커플의 계시를 이야기하고 싶어

커플의 계시①

카구야 님을 영접해야만 얻을 수 있는 영양소가 있으니까.
에리카도 에리카네요.

예감이 들어요.
회장×카구야 님에게

굉장히 가슴 벅찬 일이 일어날 예감이…!

그 무렵의 시로가네
아버님,
따님을 제게 주십시오.

커플의 계시②

어─.
오늘 결석은
3학년 A반 담임 오오바야시 히카루

시죠 남매, 시노미야, 시로가네,
후지와라에 하야사카.
코세
카렌
이번 주 청소 당번이 아니어서 다행이다….

그날 밤.
헉!!
또 왔네,
커플의 계시가!!

그 무렵의 시로가네와 카구야
기꺼이!

며칠 후

하야사카 양, 평안하신가요.

오늘도 카구야 님은 쉬시는 걸까….
음—?

어제 방과 후에 학생회실에 왔던 것 같은데.
오늘은 오지 않을까?
화아아아아!!

오랜만에 카구야 님을 영접하겠네~~♡
이 광경을 보고 일상이 돌아왔다고 느끼는 게 싫네….
꺅
꺅

사소한 질문을

카구야 님!!
안녕하세요.

카구짱! 걱정했어~~!!
와글
와글
흑
흑
흑

저… 사소한 질문을 하나 드리겠는데요.
두 분이 쉬실 동안…
욱!!

뭔가 뻐렁치는 일 없으셨나요?
카렌?!

영양 결핍의 결과

왜 그래?! 평소에는 좀 더 자제하더니….
아니, 평소에도 결코 자제심 같은 건 없었지만!!

지금까지는 먼발치에서 바라보는 일이 많았던 카렌.
이 정도까진 아니었잖아?

최애 커플 결핍증으로 인해
그랬나요?
감각이 마비!

그 결과,
무작정 들이댄다!!
두 분이 나란히 계신 모습을 보니 마음이 놓여서요~♥

평온

뻐렁치는 일이라면 그거 아닐까요~~?
그거지~~.

공주님을 구하는 기사 같았어요~~~.
이봐….
어머~~.

그렇게 어마어마한 일을 해냈는데,
대대손손 길이 전해야 해요!
후지와라!

자세히 들려주세요!!
3-A
도망가자, 시노미야!!
오늘의 활동 A반에 평온이 돌아왔다

★원작 플레이백!!

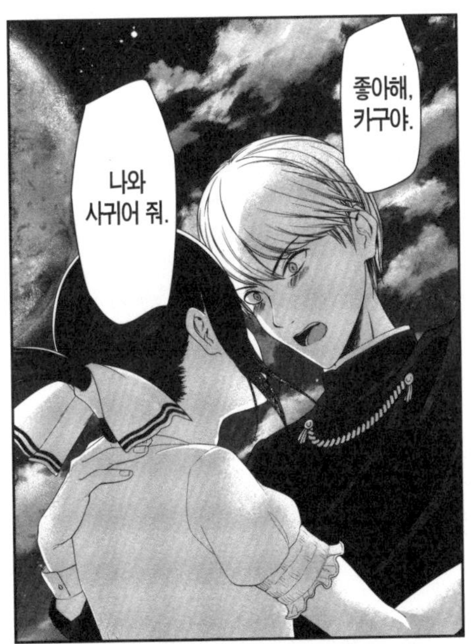
좋아해,
카구야.
나와
사귀어 줘.

제26권 '제261화 카구야 님은 고백받고 싶어'

수학

…
덜컥
실례 합니다.
칵

여기서 주목할 항목의 확률을 구하면….

홍보용으로 지도위원의 공지사항을 ….
고마워, 거기 박스에 넣어놔 줘.

수학 인가요?
그게 아니라

최근 가끔씩 회장이 카구야 님을 카구야라고 부르는데,

저기, 카구야는.

그 확률이 어느 정도인지 계산 중이야!

그런 영양가 없는 짓을….

제 192 화 호칭을 이야기하고 싶어

이유는

영양가 없는 짓이 아니에요!
꽉!!
우선 확률이 100이 아닌 시점에서…

서로 사귀기 때문에 이름으로 부르게 되었다.
…그런 것도 아니라는 뜻.

단둘이 있을 때만 부르기로 했다거나
아니면….

주접 커플로 보이고 싶지 않을 뿐이라거나?
설마!
후후!
정답.

주접 커플의 커플러

흥 흥!
애초에 회장과 카구야 님을 두고
주접 커플이니 뭐니 하는 건 실례예요!
된장 전병 먹을래?
잘 먹을게요

주접 커플이란
좀 더 서로를 바보 같은 호칭으로 부르거나….

카구냥♡
알콩
미유삐♡
달콩

응?! 귀엽잖아?!
어떡해―
과연 주접 커플의 커플러군요.
그냥 주접이란 얘긴가?

'카구야 님'

선배들도 시노미야 선배를
시노미야 님이 아니라 카구야 님이라고 부르시네요.

시노미야 님이라고 하면 어쩐지
시노미야 집안 사람이니까 우러러본다는 느낌이 들고….

게다가 그거 모르니?
카구야란 이름은…

당
소리 내어 불러 보고 싶은 이름 랭킹에서 당당하게 1위라고!!
그런 랭킹 모르는데요.
당

커플명

호칭 하나로도 온갖 상상이 피어오르다니 ….
바삭
바삭
역시 회장× 카구야 님은 최고의 커플이에요.

호칭이 나왔으니 말인데,
키노 선배는 최애 커플명을 줄임말로 부르지 않네요?

시로가네 회장× 카구야 님의 줄임말이 뭔데?
시로카구 같은 느낌일까요?
줄여서

두 분의 고귀한 이름을 줄이는 것은 불경하다고 생각하지만….
망상은 거리낌 없이 하면서 그건 마음에 걸리는 건가요?

약칭은 언젠가

게나가
잘 생각해 보세요!
바삭 바삭
파삭
바삭 바삭
바삭

언젠가 두 분은 결혼을 할 거잖아요?
일단은 지적하지 않기로 하죠.

그럼 카구야 님의 이름은
시로가네 카구야가 되겠죠?!
유부녀 시로가네 카구야

그렇게 되면 시로카구는 기무타쿠처럼 들릴 것 아니에요!!
그런 발상은 미처 못 했네요.

오사라기 정보

동급생들끼리의 결혼을 전제로 대화를 나누는 건 이상하다고 생각 못 하다니….
우와와

음….
시노미야 선배는.
시로가네 회장과 언젠가 결혼하실 건가요?
결…!
그렇게!
아직 사귀기 시작한 지 얼마 되지도 않아서 결혼이니 뭐니 생각하는 건.
주제 모르는 닭살 커플 같잖아!
하긴 요즘 두 분은 그렇게밖에 형용할 방법이 없지만요

본인은 아주 싫지만은 않은 눈치던데요.
어머―!

좀 더 자세히 들려 줘요!
오늘의 활동
오사라기와 잡담
매스미디어부

★원작 플레이백!!

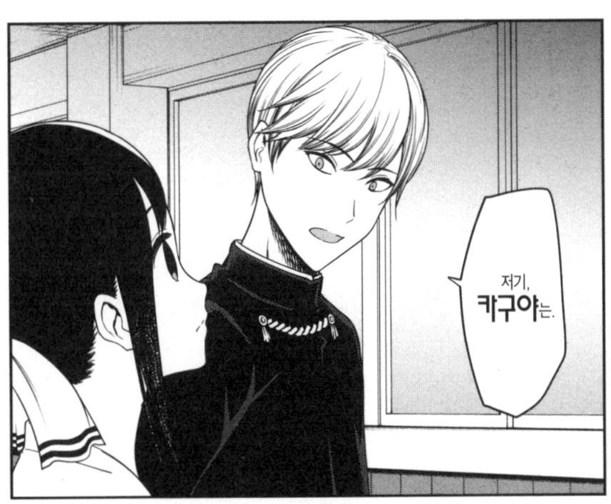
저기,
카구야는.

제27권 '제264화 카구야 님은 불리고 싶어'

키노 카렌과 이시가미 편집자의 최종회

매스미디어부
부실까지 애써 와 줘서 고마워요.

털썩
엄청나 !!

저는 상관 없지만
또 신작이 완성된 건가요?
뒤적
뒤적

…아니, 이건
전에 읽은 적이 있는 것 같은데…?
회장×카구야 님 진실한 사랑 편

오늘…
모두 처분 하려고요.

어? 갑자기 왜 그러세요?

부모님께 들키기라도 했어요?

제 193 화 RPS 졸업을 이야기하고 싶어

카렌의 결단

전 오늘을 기해
이 취미에서 졸업하기로 했어요.

오늘 회장은 이 슈치인이라는 둥지를 떠났어요.
해외 유학이라는 큰 미래를 향해.

그런데도 저는
수험을 앞두고 있으면서,

이런 것이나 그리고 있을 때가 아니라는 것을…!!
뭐, **현명한 판단**이라고 생각하네요.
으으으으으

과연 이시가미 편집자

그래서 회상이 슈치인을 떠난 오늘
모두 처분하고 저도 졸업하려고요….

이시가미 편집자의 입회 하에….
의지는 굳은 모양이군요.

이래저래 오랫동안 봐 왔으니까
마지막까지 함께해 드릴게요.

이 **특급 흑역사**를 남겨 두는 건 너무 **위험**하고.
처분하려는 결심을 더욱 굳혀 줘서 고마워요~~.
쿠욱

시작과 끝

따지고 보면
회장과 카구야 님, 두 분이 사귀면 멋질 텐데… 하는
망상에서 시작됐죠.
그럴 수가!
가까이 하기도 황송한 분들인데,

실제로 두 분은 맺어졌고
제 망상 같은 것이 흐려질 정도로 행복해 보여서

이제 충분하고도 남을 만큼
꿈같은 광경을 봤으니까요.

공식이 최대 메이저라는 말이 딱 맞아요.
좋은 말이죠.
찌익
드 드 드 드 드 드

이시가미의 제안

이만큼 쭉 그려 왔다는 것은
재능이 있다는 뜻이에요.
찌이익
찌익
회장×카구야 님
100번의 데이트 편

순정 만화가에 도전해 보는 건 어때요?
그 두 분이 아니면 아이디어가 안 떠오르는걸요.
드 드 드 드 드 드 드

글쎄요, 예를 들면….
그렇군….
내 경험으로 말하자면,
…….
아이디어…
고백을 받아내겠다.
라고 생각했어.

좋아하는 상대에게 고백받고 싶다,
같은 거요.

고백받고 싶어

고백받고 싶다?
다른 사람한테 들은 이야긴데,
드드드
드드드

상대가 자기를 좋아해 주도록 노력하거나
상대에게 좋아한다는 말을 듣기 위해 시행착오를 거듭하거나….

카구야 님은 고백받고 싶어…!!
원점으로 돌아왔어!
번뜩!!

전혀 졸업을 못 했잖아요!
니가 저절로~~~.

깨달은 이시가미 편집자

하지만 과연 이시가미 편집자,
훌륭한 아이디어예요!

쇼가쿠칸 만화상도 노릴 수 있을 만큼!
RPS 팬픽으로요?

쇠뿔도 단김에 뽑으랬다고,
당장 돌아가서 집필해야지!
메모

사람은 변하지 않는 생물이구나….
오늘의 활동 새 아이디어를 얻었다
꾸물
꾸물

★원작 플레이백!!

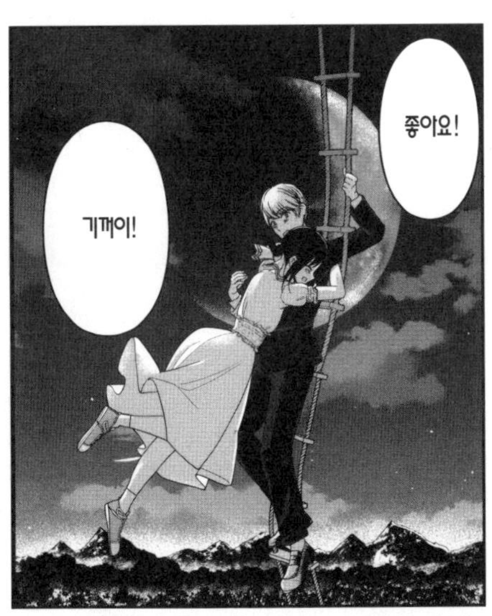
좋아요!
기꺼이!

제26권 '제261화 카구야 님은 고백받고 싶어'

제 194 화
'F'를 이야기하고 싶어

여름 방학.
학생들 사이의 접점이 한 달 가량 사라지는 기간!
…….

그 결과,
맛있는 라멘가게 찾았어
갈래?
된장 라멘은?
있어
갈래!
에리카, 라멘에 낚이다!!

우연이기는 하지만 한 번 에리카와 둘이서 외식을 한 카자마츠리.
왜 길가에 우두커니 서 있어…? 아, 호오
카자마츠리 군, 이런 데서 보네…
말을 거는 난이도는 약간 내려갔다….

라멘 이치류켄
사실상 두 번째 런치 데이트인데….
이 가게를 고르다니….

카자마츠리 군도 들은 모양이군.

라멘 애호가들 사이에서 현재 주목받는 소녀 'F'의 소문을…!

뭐라고?

에리카에게는 데이트라는 인식이 털끝만큼도 없었다.

이번 목적

'F'.
라멘 사천왕이 인정했다는 수수께끼의 라멘 파이터.

신출귀몰한데, 며칠 전 홀연히 이 가게에 나타났어.
지금 내가 아는 정보는 그것뿐.

하지만! 탐정 조수(카자마츠리)와 매스미디어부가 힘을 합하면
그 정체는 곧 밝혀질 거야!!
두둥!!

그런 거지?!
그것도 나름대로 재미있겠지만 그걸로 되겠냐?
두근
두근

탐정 조수의 추측

둘이서 'F'의 정체를 알아내자!

라멘 사천왕이라면 그거지?
이, 저기 후지와라 왕 아니야?
이거 실화냐? 저 녀석이 마시마시 초모링미를 다 먹었단 말야?!
전에 갔던 가게에서 후지와라가….

……?
완식 감사합니다
……

그 'F', 혹시 후지와라 아냐?
설마 그렇게 쉬울 리가~~.

점장이 말하는 'F'

'F'가 우리 가게에 왔던 것은 사실이야.
점장!

그녀가 주문한 것은 츠케멘.
츠케멘 주세요.
그 선택에 청중들은 술렁였지.

무서운 아이였어. 그 자유로운 스타일로
주위 사람들 모두 츠케멘을 먹게 만들었지.
점장! 우리도 츠케멘 줘!

지금도 어딘가에서 라멘 파이터의 치열한 삶을 보여 주고 있을 거야.
고기♪ 고기♪
그 무렵의 후지와라.
치이———익

흔들림이 없다

츠케멘을 먹는 적절한 스피드,
국물을 흠뻑 적신 한입,
추가 사리는 다채롭게….

너도 'F'를 좇아 여기 왔다면
이미 츠케멘을 먹고 싶어졌겠지?
꿀꺽…

자,
주문을 해 주실까?
쿠 쿠 쿠 쿠

된장 라멘요.
나도.
이럴 수가…!!

다음 약속

정체

어떤 아이 였나요?!
나이는 아가씨 또래 정도일까?

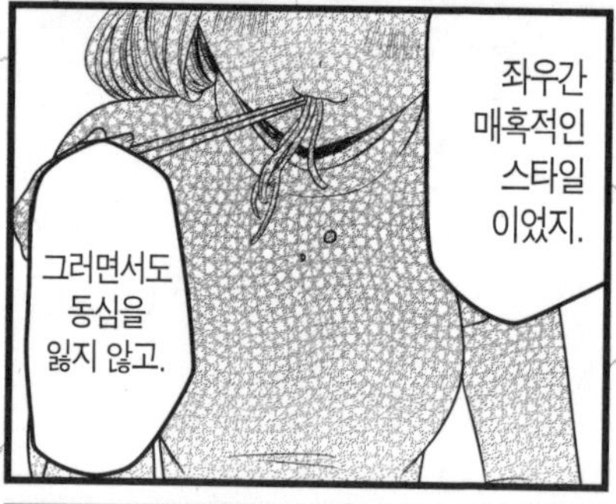
좌우간 매혹적인 스타일 이었지.
그러면서도 동심을 잃지 않고.

이마에 수수께끼의 검정 리본을 단 소녀였어.

딩동──!
후지와라 양이다─!!
그것 봐!!

맛있었어─!
배부르다!
다음은 쿠세가 추천하는 곳으로 가자.

나는 내가 만드는 라멘을 가장 추천해!!
설마 수제파?!

모처럼이니 후지와라 양도 불러서 대접해야지!
그게 아니라, 있잖아.
물론 카렌도!
오늘의 활동 라멘을 즐김

'라멘 된장마츠리' 라는 이름의 가게가
라멘 파이터들 사이에 화제가 되어 명성을 날리는 것은
머지않은 미래의 이야기.

★원작 플레이백!!

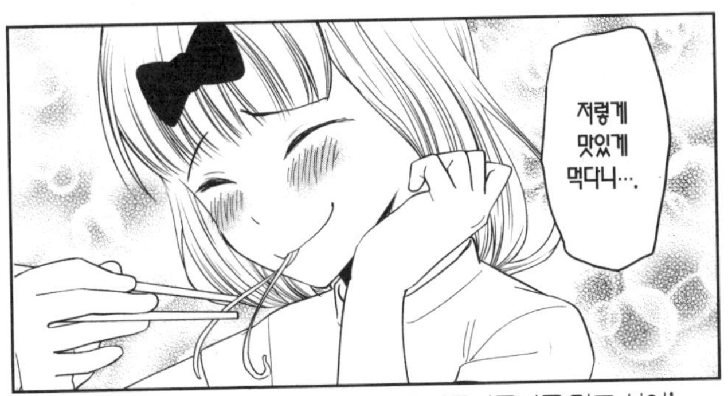
저렇게
맛있게
먹다니….

제27권 '제271화 후지와라 치카는 너무너무너무너무 먹고 싶어'

카시와기로부터

임신…?!

자원 봉사부
나기사가 엄마가 된다는… 거야?!
응.

3개월 이래.

…너무 놀라서,
말이 잘 안 나오지만…

임신 중에도 기본적으로 된장국은 괜찮아!

국물은 다시마 대신 가다랑어 포로!

지나친 염분 섭취를 주의하고!

거침없이 나오는 된장 지식….

슥
슥

제195화 임신을 이야기하고 싶어

에리카의 지식

솔직히 놀라 기절할 뻔했어.
나기사 본인도 그랬겠지만.

축하해-!!
저렇게 솔직히 기뻐해 주면
나기사도 마음이 편하겠지.

…설마 싫기는 하지만.

축하해-!
재 혹시 **황새**나 **다리 밑** 같은 걸 믿는 건 아니겠지?
보건체육 수업은 들었으니 아마… 괜찮겠죠….

축하한다는 말

힐끔…
축하할 일 이지만….
하 아
그러게 말야.
하 아 아

내 친구들은 진짜 놀랍다니까.

마키 양,
미련을 털어버린 개운한 표정으로….

축하해요.
축하해요…!
그 말을 들을 사람은 내가 아닌 것 같은데?
짝
짝

학교 측의 대응

졸업할 때까지 학교는 다닐 수 있나요?

괜찮아.
버럭!!
퇴학이니 뭐니 하면 내가 학교에 항의할 거야!

솔직히 퇴학도 각오했지만
학교 측은 의외로 너그러웠고,

17년에 한 번 꼴로 그런 일이 있대.
흐음 ~~.

에리카의 배려

얼른 축하부터 해 버리긴 했지만,
여기! 앉아!
축하…해도 되는 거지?

처음에는 여러 가지로 걱정했지만
지금은 기대감이 더 크다고 할까….

츠바사도 무척 기뻐하고.
다행이다, 그러지 않으면…

타누마를 된장 절구로 후려쳤을 거야.
폭력은 안 돼요, 에리카!!

뱃속의 아이에게

마음의 정리가 됐다고는 해도 털어놓기 어려웠을 텐데.
이야기해 줘서 기뻐!

지금은 몰라도
앞으로 소문 같은 것도 날 테고,

남의 입으로 전해 들을 바에는
내가 직접 알려 주고 싶어서.

나기사는 현명한 어머니예요 ~~.
얼른 태어나서 우리 된장을 맘껏 먹으렴 ~~.

이름

이름은? 벌써 정했어?
좀 성급하지 않아?

확실하진 않지만 후보는 있어.

내가… 존경하는 사람의 이름을 붙여 주고 싶어서.
흐음—?

마키라고 지을 것 같아서 무섭네요—.
오늘의 활동 카시와기와 중요한 이야기

★원작 플레이백!!

제28권 '제274화 시죠 마키와 카시와기 나기사와 타누마 츠바사의 최종회 후편'

작년과는 달라

제68기 학생회
모든 활동 종료!!

이번 기수
학생회도
틀림없이
슈치인의
역사에
남을 분들
이었어요.

선거 고시
와글
작년 이맘때도
같은 말을
했지만….
와글

기각.
지난 기수
학생회에
관한 기사는
전부 기각돼
버렸지만….
종교 포교문구
같은 문장에
공포마저
느껴지고…

이번
기수는
괜찮아!
왜냐하면

퇴짜
놓을 사람이
없으니까!!

부부장

부장

직권
남용이다.

두두웅!!

제 196 화 제68기 학생회를 이야기하고 싶어

우수한 리더

그래도 후배들에게 여론 조사를 부탁했고

학생회
학생회 멤버에게 코멘트를 부탁했고

선거관리 위원회와 특집기사 내용 협의도 마쳤고.

우리도 엄청 일했거든!!
예이─!
196화에 와서야 처음으로 보는 활약이다.

작년과 같아

나머지는 부원이 만들어 준 기사에
우리 편집 후기를 곁들여 집약만 하면 돼.

얼른 시작하자….
…님.

시러 시러 시러 ~~~~!!
바둥 바둥 바둥 바둥
에리카?!

내 안에서 카구야 님이 있는 학생회는 영원히 끝나지 않을 거야아~.
빼애 애애
또 최종화를 못 받아들이고 떼를….

※『카구야 님을 이야기하고 싶어』 51화 참고.

여론인가 아니면

여론 조사를
토대로
정리하죠.
팔락…
우선 회장과
카구야 님.

회장은
'학년
1등이라는
성적이
존경스럽다'.
'문화제
2일 개최를
가능하게 한
갓회장'.

카구야
님은
'있기만 해도
의지가
되는 존재'.
'회장 옆에
서 있으면
더욱 안심이
된다'.

'그 두 분의
행복이
우리의
행복'….
그건 카렌
개인의
주관
아니야?

2학년에게

이시가미
군과
이이노 양은
문화제
실행위원의
실적으로
좋은 평가를
받네.

캠프
파이어가
호평
이었으니까.
계속해
달라는 의견도
적지 않아.

'요즘은
둘이 어울려
보이기도
한다'.
'둘이 사귀어도
이상하지
않다'라는데?

경하드리
옵니다
~~!!
딸랑
딸랑
갑자기
축하?!

집약

싹을 틔워요

정말
멋진 학생회 였어요.

이시가미 회계도 이이노 양도 보통내기가 아니라니까.
실제로 사귀는 건 아닌데?
짤랑♪

수많은 개혁을 추진한 '희망의 학생회'.
후세에 길이 기억되도록

새로운 커플러를 싹틔우고 있으니까!
어울리셔요…♥
커플러의 싹?!

우리가 기록으로 남겨야지!
오늘의 활동
매스미디어부
제68기 학생회 활동 기사 집약

이제 슈치인도 길이 평안하리~~.
평안 이라니.

10만 자가 넘어 버렸어….
약 250 페이지나 되어 재작성 요함.

근데 후지와라 양은?
귀엽다는 등 가벼운 의견만 있어요.
흐음—.

★원작 플레이백!!

이기기 위해 오사라기를 택했어.
네가 제일 잘 알고 있을 텐데?

제28권 '제275화 '오사라기 코바치의 최종회'

달라진 이이노에게

전 학생회가 해산하고
차기 학생회 선거가 시작되려 합니다.

시로가네 전 회장의 의지를 이어받아
더 좋은 학교생활을 만들겠습니다.

그럼 마지막으로 포부를 부탁합니다.

1년 동안의 실적이 있어서 인지
든든하고 믿음직한 표정이 됐네.

작년 같은 공약은 안 내거나요?

생글

나는 까까머리도 양 갈래 땋기도 괜찮을 것 같아!

생글

선배들, 미코를 가지고 놀지 말아 주세요.

제 197 화 제69기 학생회 선거를 이야기하고 싶어

작년의 공약은

왁
바로 지금!
분명 모두들,
지난 1년 동안 이이노 양의 성장과 활동을 지켜봤을 거예요.

개인적으로 큰 것은 역시 작년의 공약 철폐!!
또 그 얘기를…

연애 금지, 남녀 50cm 이내 접근 금지는
커플러로서 최애 커플을 영접하는 데 지장이 크거든요.

후후ー!
이이노 양 본인에게도 지장이 간다는 걸 깨닫지 않았으려나?
에구, 키노 선배.

두 사람의 성장

저, 저도 지난 1년 동안 성장했다고요!

선배들도 지난 1년 동안 성장하셨죠?
우리?

⚠ 경 고 ⚠
아래 사람은 입실을 엄금한다.
키노 카렌
코세 에리카
기한: 학생회 선거 종료까지
부장
작년에는 부실 출입 금지도 당하고,
선거 보도에 참여할 수 없었잖아요.

당
…그렇게 대단치도 않아요!
자랑할 일이 아닌데요.
당

입후보자 취재

이이노 양에게
코멘트도
충분히 받았고,
우
우
우우우

또 다른
입후보자인
나카노 군은
2학년에게
취재를
맡겼고.

이제
완벽해!
좋아!
할 일은
끝!

내 취재는?
히익.

TG부 영구 부장의 입후보

서, 설마
마키가
입후보할
줄은.
포부를
말씀해
주시겠어요?

학교생활이
게임이라면
재미있을 것
같지 않아?
여기서부터
틀렸네.

작년 문화제 때
결국 묻혀 버린
배틀 로얄….
수정에
수정을 거듭한
마스터판
실행….

지금
이 학교에
부족한 것은
스릴과
자극이야…!
슈치인의
멸망이야….

괜찮아

분명히 말하지만 부정행위는 안 됩니다!
매수나 협박 같은 거…!

괜찮아.
일상이 성에 차지 않는 학생은 분명 내게 투표할 테니까.

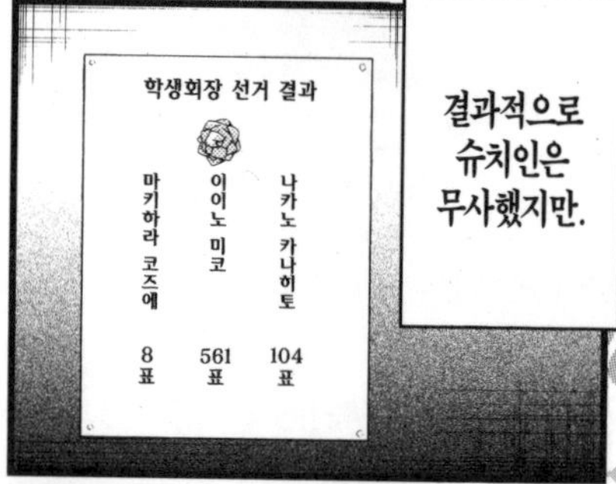
결과적으로 슈치인은 무사했지만.
학생회장 선거 결과
나카노 카나히토 104표
이이노 미코 561표
마키하라 코즈에 8표

이 학교에 위험한 사람이 8명이나….
그 8명이 누구인지는 끝내 알 수 없었습니다.

여담

여담이지만 마키의 연설은—.
이어서 마키하라 코즈에의 연설을 듣겠습니다.

번쩍
웅성 웅성

보라.
그날이 오고 있다.
구세주

딱히 이야기할 필요 없다고 생각하므로
생략합니다.
와—
구세주

★원작 플레이백!!

TG부의 연설이
어땠는지는
딱히 이야기할
필요 없다고
생각하므로
생략합니다.
딩ー
구세주

제28권 '제275화 오사라기 코바치의 최종회'

연애 상담

이것은 새 학생회가 발족하고
학생회
조금 지났을 무렵의 이야기다.

학생회는 그런 상담도 받아 준다고 들어서….

연애 상담…
이라고요?

선배에 대해서는 조금 알고 있습니다.
상대가 누군지도.
과연 새 부회장이구나!

단도직입적으로 말하겠습니다.

반한 대상이 큰 문제입니다!

다시 생각하는 게 좋아요.

차악!!

너무 하네…!

제 198 화 고백 방법을 이야기하고 싶어

토요사키의 주변

학생회장이 묻기는 그렇지만,
왜 3학년 선배가 저희에게 상담을…?
에이~~ 궁금한데….
붕

내 주변이 말이지….
이번 주에도 시노미야가~…
시로가네는 이제 **답이 없는 주접 커플**이고,

같은 레벨인 줄 알았던 녀석은
된장 라멘에 김치 토핑 어떠냐?
된장은 모든 것을 포용해!
요즘은 라멘 토론에 여념이 없고.

츠바사는 이미 세계가 다르다고 할까, **세대가 다르다고** 할까….
곧 아빠가 돼요!
아—.

고백에 필요한 것

고백을 한다면 역시
시추에이션이 중요하다고 봐요.

역시 벽쿵 같은 게 좋다고 생각해요.
그렇군.

관심을 끌려면 성적이겠죠.
남녀를 불문하고 좋은 성적은 지위입니다.

난 시죠 마키에 이어 **학년 3등**인데….
1등 시노미야 카구야
2등 시죠 마키
3등 토요사키 사부로
4등 아라카와 타이가
선배네 학년은 **시험 성적과 연애 점수가 반비례하는 시스템인가요?**

좋아 합니다.

저와 사귀어 주세요!

고백

최악의 경우 탈출구로
이런 고백 시추에이션을 생각해 봤다고 얼버무리면 돼요.
그 사람이라면

말은 그렇게 했지만…
쿵
실패하면 학생회 책임으로 돌아오는 거 아냐?
쿵

어머, 토요사키 군.
무슨 일….
쿵
쿵

쿠
깜짝
웅

결과

…라는 시추를
생각해 봤는데.
아니, 신속 탈출 뭔데?!
윽…

…시추 에이션?

어머——!!
시추 망상을 하는 취미가?!!
이것 봐, 이미 머리가 커플러 모드라고!!

워낙 오래된 시추라서 그다지….
이미 있는 거예요
그냥 퇴짜 놓고 있잖아!

올라이트?

아무리 왕도 시추라고는 하지만
턱…
저는 지금까지 시도한 일이 없었어요.

머리에 떠오른 시추를
스스로 실천해서 확인하는 그 행동력….

호쾌하군요!
짝
짝

칭찬 받았어!
활짝!
잘됐네요.

그 후의 카렌

실천함으로써 상상이 더욱 선명해진다….
큰 공부가 됐지만

하마터면 리얼 고백이라고 착각할 뻔했어요!
아~~ 헷갈리게 정말!

나 아니었으면 오해받을 뻔했잖아요!
고마운 줄 알아요, 토요사키 군!
메모
메모

당장 돌아가서 회장×카구야 님 벽쿵 시추를 그려야지!
룰 루♪
오늘의 활동 카렌 소재 획득

보고

학생회
그 후 시추 망상 동료처럼 되긴 했는데
그걸 역이용할 생각이야.

입맛을 사로잡는 시추 실험을 가장해서
오늘 도시락을 싸와 달라는 데 성공했거든.

호감도 0인 남자에게 직접 도시락을 싸 주진 않을 거잖아?
이렇게 나가면 거리를 좁혀갈 수 있을까?
잔뜩 들뜬 토요사키였지만

그 도시락의 대부분을 에리카가 만들었다는 사실을
문어 비엔나는 필수지!
와~
그는 아직 모른다.

최종화
카구야 님을 이야기하고 싶어

슈치인 학원 고등과
졸업식

지금까지 참 많은 일들이 있었죠….

어쩐지
졸업까지 눈 깜박할 사이였네.

보건실

졸업식 날까지 **쓰러질** 줄은 생각지도 못했어요.

그러게—.

졸업식 중에 일어난 상황에

벌떡
하는 수 없잖아.
졸업증 수여식 때···.

카구야 님이 갑자기
노벨 평화상급의 미소를 띄우고

그 시선 끝에는 상상도 못했던 회장이!
하아
아아앙

풀
오랜만의 최애 커플 과다 섭취에 뇌가 따라가질 못했어~~.
행복해 ~~♡
썩

두 사람은 자기를 위해

펄럭
아니! 한가하게 누워 있을 때가 아니지!

서프라이즈 이벤트에 늦겠어!
!

카구야 님이 회장을 위해 마련한 서프라이즈!
반드시 참가해서···
타닥!!

회장× 카구야 님 갓시추를 영접할 기회야!!
카구야 님을 사진에 담을 기회!!

키노 카렌의 행복

몇 시간 전.
서프라이즈?

회장이 모두를 놀라게 하려고 몰래 학교에 올 모양인가 봐.
그래서 카구야 양이 반대로 놀라게 하자고 했어!

우리도 도울 일이 있으면 기꺼이 도울게요!
그렇지, 카렌?!

회장× 카구야 님의 추억의 일부에 공헌할 수 있다니,
뚝
뚝
커플러로서 죽어도 한이 없어~~!
뚝

코세 에리카의 행복

코세 양, 괜찮다면
연락처를 교환하지 않겠어요?
어어?!

저는 그 후로
서툴지만 사진 연습을 하고 있어요.

반드시 실력을 키울 테니까
어느 정도 실력이 생기면 꼭 봐 주세요.

카구야 님의 연락처를 얻었으니까
헉
오늘 서프라이즈를 사진에 담아 보내서 나도 서프라이즈로 카구야 님을 기쁘게.

서프라이즈

느,
헉…
늦지 않았어…!
헉
와글
와글

여러분!
갑니다!

시로가네 회장!
졸업을 축하합니다!

회장×카구야 님 만세!!
카구야 님의 서프라이즈 만세!!
아무 말이나 하는 서프라이즈가 아니다.
찰칵
찰칵

에필로그

이렇게 많은 사람이 협력해 주다니,
그만큼 회장과 카구야 님이 인망이 두텁다는 거지.

—이리 하여

'세기의 대천재' 시로가네 미유키의 졸업식은
10년 후까지 입에 오르내리는 '전설'이 되었고,

두 사람의 행복은 다음 단계로—.
또 멋대로 내레이션 달고 있지!
졸업을 해도 통상 모드

제8권 / 완결

★원작 플레이백!!

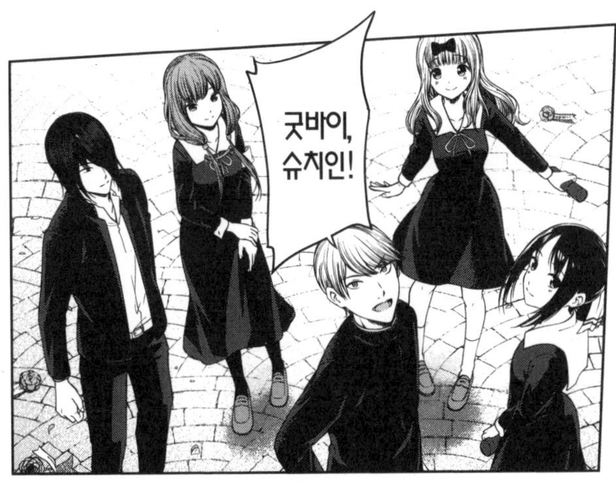
굿바이,
슈치인!

제28화 '최종화 굿바이 슈치인!'

끝!!
카구야님을 이야기 하고싶어

카구야 님을 이야기하고 싶어 8

2023년 9월 15일 초판인쇄
2023년 9월 25일 초판발행

원 작 : Aka Akasaka
저 자 : G3ida
역 자 : 서현아
발 행 인 : 정동훈
편 집 인 : 여영아
편 집 책 임 : 황정아 장명지
미 술 담 당 : 김환겸
발 행 처 : (주)학산문화사

서울특별시 동작구 상도로 282 학산빌딩
편 집 부 : 828-8988, 8842 FAX : 816-6471
영 업 부 : 828-8986
1995년 7월 1일 등록 제3-632호
http://www.haksanpub.co.kr

값 6,000원
ISBN 979-11-411-0958-5 07650
ISBN 979-11-348-6922-9(세트)